Bruño

Dirección Editorial:
Trini Marull

Edición:
Cristina González

Producción:
Mar Morales

Traducción:
Rosa Pilar Blanco

Ilustraciones:
Birgit Rieger

Diseño de cubierta:
Miguel Ángel Parreño

Título original: *Hexe Lilli auf Schloss Dracula*

Este libro se ha negociado a través de
Ute Körner Literary Agency, S. L., Barcelona

ISBN: 978-84-216-9178-6
Depósito legal: M-31094-2008
Impresión: HUERTAS, Industrias Gráficas, S. A.
Printed in Spain

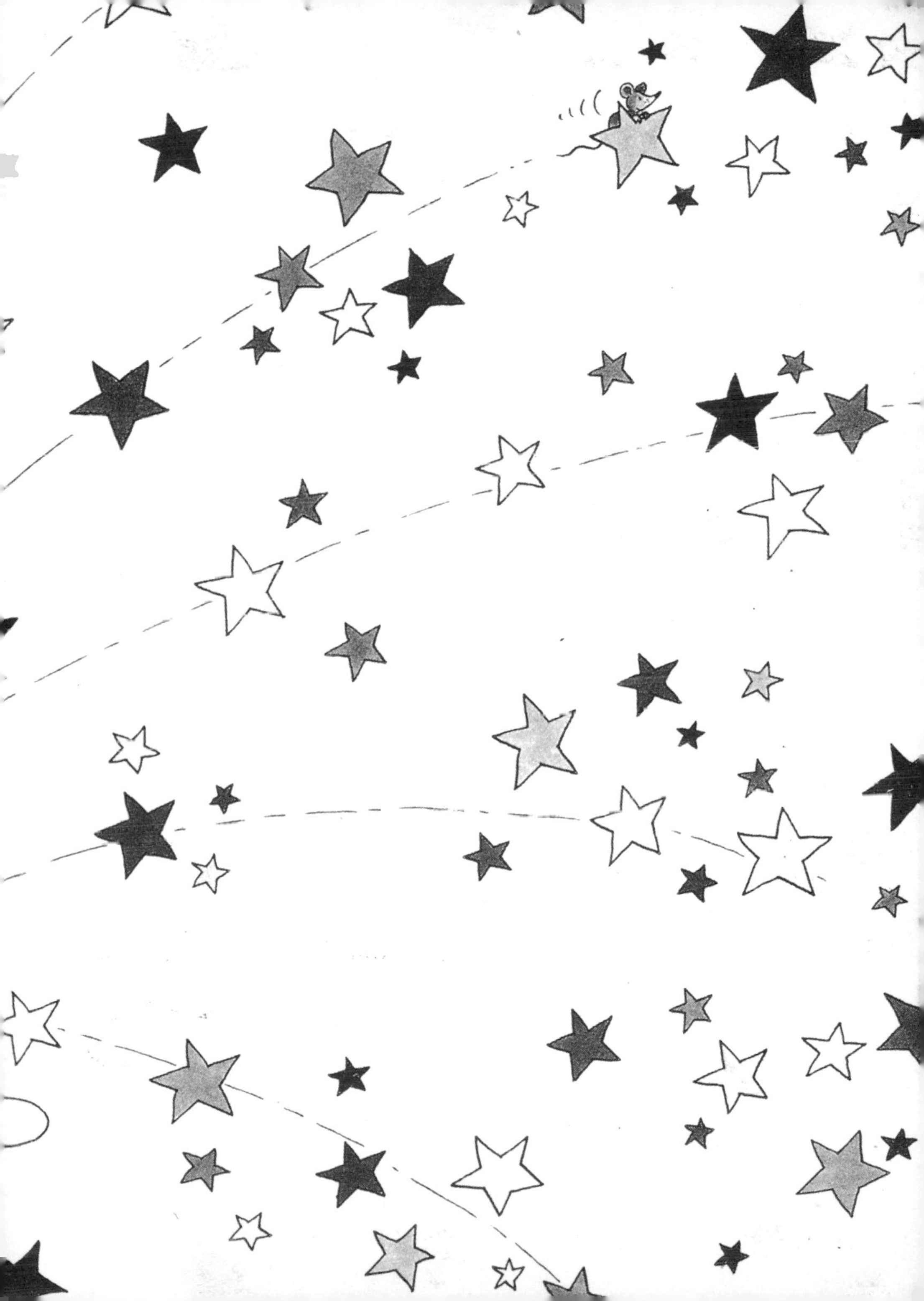

KNISTER

8.ª edición

Al final de este libro
encontrarás dos estupendos
trucos de vampiro,
pero no seas impaciente
y... ¡espera a llegar
a la página 125!

Esta es Kika,
la superbruja
protagonista
de nuestra historia.
Tiene más
o menos tu edad
y parece una niña
corriente y moliente.
Bueno, en realidad
lo es…, aunque no
del todo. Y es que
Kika posee algo muy poco común:
¡un libro de magia!

Una mañana, Kika encontró ese libro junto a su cama. ¿Que cómo llegó a parar allí? Ni idea.

Kika solo sabe dos cosas: que la atolondrada bruja Elviruja se lo dejó olvidado en un descuido, y que el libro contiene auténticos encantamientos y loquísimos trucos de bruja. Kika ya ha probado algunos. Pero ¡cuidado…!

Será mejor que no intentes imitar los conjuros de Kika, porque…

Si al leer una palabra te equivocas,
tu cepillo de dientes se convertirá en escoba;
tu profesora, en una monstrua abominable,
y el helado que te estás comiendo,
en un pepinillo en vinagre.

Por si acaso, Kika Superbruja no le ha hablado a nadie de su fantástico libro. Es, como si dijéramos, una bruja auténtica, pero secreta. Ha ocultado la existencia del libro de magia incluso a Dani, su hermano pequeño, y esto no le ha resultado nada fácil, pues Dani es muy, pero que muy curioso, y a veces hasta puede resultar algo plasta. Pero, a pesar de todo, Kika le adora.

Bueno… y a continuación, ¡sumérgete en el placer de la superlectura con las aventuras de Kika Superbruja!

Capítulo 1

Sentada en su cama con las piernas cruzadas, Kika mordisquea nerviosamente las orejas de su ratoncito de peluche.

No puede apartar los ojos del libro que está leyendo. Trata de los vampiros y lo ha sacado prestado de la biblioteca. En realidad, el libro pertenecía a la sección de adultos, pero Kika dijo que era para su padre. ¡Cualquier cosa con tal de conseguirlo!

Ese libro lo explica todo sobre los vampiros, no solo que chupan sangre…

Kika se entera de que proceden de Transilvania, una región de la lejana Rumanía, en pleno corazón de los montes Cárpatos.

El libro también habla de lo que gusta y lo que disgusta a esos terroríficos seres voladores, y también del modo de acabar con ellos, a pesar de que hay mucha gente que los considera inmortales.

Kika continúa con su lectura, cada vez más impresionada. Todo está explicado con tanto detalle que, en algunas descripciones, tiene que pasar las hojas a toda velocidad porque le resultan demasiado horripilantes. Y una y otra vez se habla del ajo… ¡Los vampiros lo aborrecen!

—¡Puajjj, a mí tampoco me gusta ni pizca! —exclama Kika.

—¿Qué es lo que no te gusta? —pregunta una vocecita a su espalda.

Kika pega un brinco, sobresaltada.

¡Dani!

Estaba tan absorta en la lectura que ni siquiera lo ha oído entrar en su habitación.

—¿Es que no sabes llamar a la puerta? —le grita—. ¡No sé cuántas veces te lo he dicho ya, pelmazo!

Kika está enfadadísima. Que su hermano pequeño la encuentre leyendo un terrorífico libro de vampiros ya es fastidioso, pero... ¿qué habría sucedido si llega a pillarla con su libro secreto de magia?

—¿Qué es lo que no te gusta? —sigue dando la tabarra Dani.

—¡Que te pasees por mi cuarto como Pedro por su casa, eso es lo que no me gusta!

—Y ese libro... ¿tiene historias de vampiros? —insiste el niño.

Aunque Dani no sabe leer muy bien todavía, la portada no deja lugar a dudas, así que Kika aparta el libro de su vista enseguida.

«¡Espera y verás, enano metomentodo!», se dice. Acaba de ocurrírsele una idea genial para librarse de Dani. Lo mira fijamente a los ojos y murmura con voz grave y amenazadora:

—Hummm... La lectura de este libro me ha dado sed..., ¡pero de sangreeeeee!

Dani se queda patitieso.

—¡Voy a morderteeeeeee! —susurra Kika mientras se relame—. ¡Tengo entendido que la sangre fresca de niño pequeño es especialmente deliciosaaaaaa!

—¡Yo ya no soy pequeño! —protesta Dani.

—No importa; seguro que también está rica... —añade Kika con voz más tenebrosa aún—. ¡Ñac-ñac... Déjame probarlaaaaa!

Dani empieza a asustarse de verdad.

—¿Y co-co-cómo vas a ha-ha-hacer eso-so-so? —tartamudea.

—¿Pues cómo va a ser? —exclama Kika, bastante fastidiada. ¡Está claro que Dani no sabe ni jota de vampiros!—. Morderé tu blanco cuellecito y luego te chuparé la sangre.

—¡Glups! —se estremece su hermano—. Y eso... ¿me dolerá?

—¡Bah!, solo un poquito —responde Kika—. Ahora, espera un momento. Siéntate ahí, en mi cama, y no te muevas. Voy a buscar una cosa.

Kika vuelve enseguida... ¡con una lima larguísima que ha cogido de la caja de herramientas! Dani sigue sentado en la cama con los ojos abiertos como platos, como hipnotizado.

—Y ahora, ¿qué? —pregunta con un hilo de voz.

Kika agita la lima en el aire:

—Ahora me afilaré los colmillos... ¡para poder morderte mejorrrrrrr!

Eso ya es demasiado para el pobre Dani, que salta de la cama gritando y sale disparado como un cohete hacia el cuarto de estar, junto a sus padres.

Al fin, la paz reina en la habitación de Kika, que vuelve a abrir su libro de vampiros. Pero cuando está a punto de sumergirse en la lectura, Dani aparece de nuevo... ¡y esta vez de la mano de mamá!

—¿Qué son esas bobadas que le has dicho a tu hermano, Kika? —pregunta su madre con el ceño fruncido.

—¡Quería limarse los colmillos con eso! —exclama Dani.

Al ver la enorme lima, mamá es incapaz de contener la risa. Sabe de sobra que

Kika jamás haría daño a su hermano, pero él siempre acaba picando el anzuelo.

—¡Y ha dicho que la sangre de los niños pequeños es la más rica! —continúa Dani.

Mamá da un suspiro y pone los ojos en blanco. ¡La de cosas que puede inventarse Kika con tal de librarse de su hermano!

—No debes tomarte tan en serio las historias de Kika —le explica a Dani—. A veces no dice más que tonterías. Lo mejor será que te vayas a jugar a tu habitación.

—¡Kika no dice tonterías! —protesta Dani—. La última vez que me habló de un vampiro, ¡apareció uno de verdad, y con los colmillos afiladísimos!

—¡Ja, ja, ja, y seguro que llevaba una capa negra y todo! —ríe mamá—. La verdad es que los dos tenéis fantasía para dar y tomar…

—¡Pues sí! Llevaba capa negra y guantes blancos —afirma Dani.

Lo que mamá no sabe es que Dani tiene razón, y que la historia que cuenta es verdad. Hace poco, Kika hizo un auténtico encantamiento vampírico (aunque fue sin querer...).

Todo ocurrió así:

Un día que Kika estaba sola en casa con Dani, su hermano mordió un bocadillo con tanta fuerza que estuvo a punto de perder su primer diente. ¡Faltó solo un pelín! El diente se le movía mucho y Dani estaba muy nervioso. Para tranquilizarlo al menos hasta que volvieran sus padres, Kika le contó una historia alucinante de un vampiro que también tenía un diente flojo. Y para añadir emoción al cuento, Kika recurrió a un hechizo vampírico de su libro secreto.

¡Más le valdría no haberlo hecho! El encantamiento resultó demasiado potente, Kika perdió el control... y de repente un vampiro de carne y hueso comenzó a corretear por toda la casa. Menos mal que, con una astuta artimaña, Kika logró hacerse con la situación sin necesidad de recurrir a su libro de magia.

Como podréis suponer, Dani enseguida les contó la historia con pelos y señales a sus padres. Y como podréis suponer también... ¡ellos no se creyeron ni una sola palabra!

Ahora, Dani vuelve a la carga:

—¡Venga, Kika, dile a mamá que aquel vampiro estuvo aquí de verdad!

—¡Pues claro que estuvo aquí![1] —ríe Kika, tan campante.

Mamá decide que ya está bien de bobadas, y se lleva a Dani de la habitación.

---

[1] Si quieres conocer todos los detalles de esta aventura, podrás leerla en *El vampiro del diente flojo,* dentro de la nueva serie «Kika Superbruja y Dani».

Kika hace la señal de la victoria y exclama:

—¡Misión cumplida! ¡Por el ataúd de Nosferatu!

Enseguida vuelve a sumergirse en la lectura de su libro de vampiros.

En un capítulo anterior ha leído algo sobre Nosferatu, un vampiro que se hizo famoso por ser el primero en llegar a América. Y lo consiguió gracias a una treta:

Como todo el mundo sabe, los vampiros no pueden volar sobre el agua, y dado que entre Transilvania y América se extiende un océano, la situación era peliaguda, así que Nosferatu hizo que lo transportaran en barco, tumbado en su ataúd. ¡Esa sí que fue una buena jugada!

Ese terrorífico ser causó numerosos daños en América hasta que un valeroso cazavampiros se encargó de dar fin a sus sangrientas correrías. ¡Una historia alucinante!

Mientras la leía, a Kika se le ocurrió trasladarse por arte de magia a la antigua Transilvania para examinar a fondo a los vampiros, pero enseguida descartó la idea. ¡Eso habría sido superpeligroso! Pero ahora, al leer que los vampiros no son ni invulnerables ni inmortales, y que hay recursos aún más eficaces que el ajo para defenderse de ellos, le invade de nuevo la sed de aventuras. ¡Es justo lo que le gusta!

Muy entrada la noche, Kika toma una decisión: irá a conocer a los vampiros a la antigua Transilvania, el lugar del que proceden.

Ya se le ha ocurrido la forma de llegar hasta allí: utilizará el «Salto de la bruja», gracias al cual Kika ha realizado ya los más fabulosos viajes en el tiempo.

Las instrucciones para dar el «Salto de la bruja» están claramente detalladas en su libro de magia. Es necesario un objeto del lugar y de la época a la que deseas trasladarte. En algunos de sus «Saltos de la bruja», obtener ese objeto fue una tarea complicada de verdad; por ejemplo, cuando Kika quiso visitar el mundo sumergido de la Atlántida, o en su viaje en el tiempo a las misteriosas tumbas de los faraones...

Sin embargo, siempre ha logrado encontrar una solución, y en este caso le resultará aún más fácil, ya que Kika posee... ¡un auténtico guante de vampiro! El protagonista de su aventura con el diente flojo se lo dejó en su casa, y como es lógico, Kika guarda orgullosamente ese valioso botín.

Lástima que no pueda enseñárselo a nadie, ya que desea seguir siendo una bruja secreta. ¡Pero para el «Salto de la bruja» le será de enorme utilidad!

Bueno, el asunto del guante de vampiro está solucionado, pero ¿qué más habrá que llevarse a una expedición al mundo de los no-muertos? Kika se sienta en su escritorio y saca una hoja de papel del cajón superior. Se dispone a hacer una lista de todo lo que piensa llevarse al viaje.

Anota:

Espejo pequeño

Lo necesita para comprobar si tiene de verdad un vampiro ante ella. Sabe que los vampiros no se reflejan en los espejos.

Ajo

Un collar de ajos ofrecerá a Kika una potente protección contra los vampiros. Un objeto así no se puede comprar, claro, de modo que tendrá que ir al mercado, conseguir un par de ristras de ajos y hacerse un collar con ellas.

Linterna portátil superpotente

Los vampiros tienen buenas razones para huir de la claridad. Si los alcanza un rayo de luz, se convierten en polvo al instante. Por eso solo se mueven en la oscuridad de la noche. Una linterna portátil muy potente seguro que sirve de defensa contra ellos...

Estacas de madera

Para acabar con un vampiro hay que atravesarle el corazón con una estaca de madera. Lógicamente, esto solo es posible de día, cuando yace dormido en su ataúd. Kika nunca sería capaz de hacer algo así, pero a pesar de todo, desea tener pinta de verdadera cazavampiros profesional. Además, con esas estacas al menos podrá dar un susto de aúpa a los vampiros. Kika sabe que en el sótano hay un viejo palo de escoba, así que lo serrará en tres trozos, los afilará y se los llevará con ella.

Gafas de sol

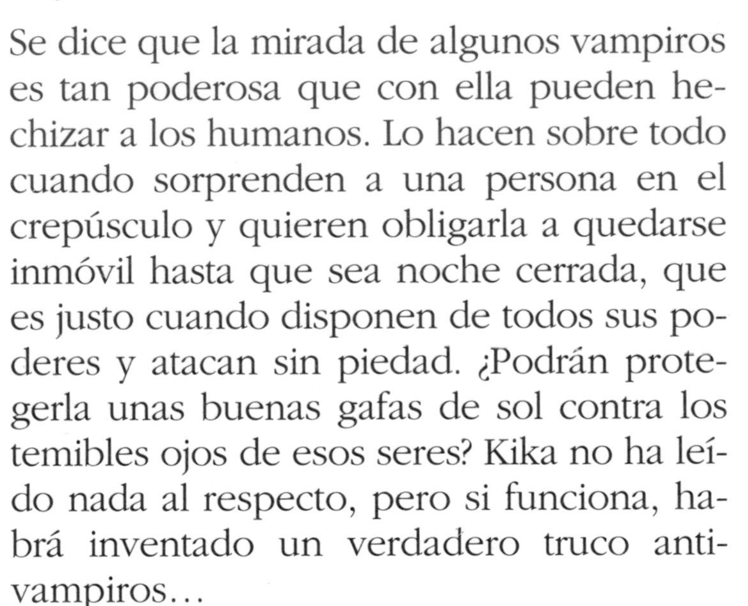

Se dice que la mirada de algunos vampiros es tan poderosa que con ella pueden hechizar a los humanos. Lo hacen sobre todo cuando sorprenden a una persona en el crepúsculo y quieren obligarla a quedarse inmóvil hasta que sea noche cerrada, que es justo cuando disponen de todos sus poderes y atacan sin piedad. ¿Podrán protegerla unas buenas gafas de sol contra los temibles ojos de esos seres? Kika no ha leído nada al respecto, pero si funciona, habrá inventado un verdadero truco antivampiros...

Bolitas de cera

Kika pretende llevarse unas bolitas de cera para taparse los oídos. Ha leído que, cuando mueren para siempre, los vampiros dan un espantoso alarido. Ese grito es tan horripilante que, por su causa, algunos cazavampiros han sufrido un ataque al corazón al acabar con uno de esos seres.

Aunque Kika no tiene intención de liquidar a ninguno, prefiere estar equipada, por si acaso.

Chaleco salvavidas 

Fue en el siglo pasado cuando el famoso investigador de vampiros, el profesor H. Tentáculus, averiguó que esos seres no pueden volar sobre el agua, ni siquiera transformándose en murciélagos. Por esta razón, Kika piensa llevarse un chaleco salvavidas. Quizá tenga que huir de alguno de ellos tirándose al agua, y aunque es una buena nadadora, quién sabe cuánto tiempo puede durar la persecución.

Prismáticos

Los prismáticos son la mejor solución para observar a los vampiros sin tener que acercarte demasiado a ellos.

Disfraces

¡Esta es la parte más divertida! Kika podrá hacerse con unos colmillos de vampiro en cualquier tienda de artículos de broma. También piensa «pedirle prestado» a papá su viejo impermeable negro. En realidad, sirve para protegerse de la lluvia cuando montas en bici, pero también resultará una excelente capa de vampiro. Como Kika ignora lo que le espera en Transilvania, se prepara para lucir dos disfraces: con el impermeable a modo de capa, los afilados colmillos y la cara pintada de blanco, irá de vampiresa, y sin el maquillaje, pero con las gafas de sol, una estaca en ristre y la capucha del impermeable bien calada sobre los ojos, de implacable cazadora de vampiros.

Trucos de magia adecuados

Los vampiros no son magos, pero dominan algunos trucos que sin duda pertenecen al reino de la hechicería. Por ejemplo, pueden transformarse en murciélagos.

Kika escoge en su libro secreto de magia algunos trucos que podrían resultar adecuados para combatir a los vampiros y los anota. No tiene ni idea de cuándo ni cómo los utilizará, pero el destino de su viaje es tan terrorífico y desconocido que no quiere dejar nada al azar, para estar más segura frente a los no-muertos...

Kika pasa las tardes siguientes leyendo libros de vampiros y ultimando los encargos de su lista. No es difícil conseguir todo lo necesario. Al llegar al punto *gafas de sol,* le asalta la duda: ¿debe llevarse las nuevas, tan chulas, o las viejas, tan resistentes? No se lo piensa mucho y guarda los dos pares. Lo único que no consigue es el chaleco salvavidas. En su lugar se lleva las aletas de buceo de Dani. Aunque solo sirven de ayuda para nadar, siempre serán mejor que nada.

El equipo completo para su peligroso viaje ya está preparado. La escalofriante aventura comenzará en la noche del sábado al domingo. Y Kika se muere de impaciencia…

¡Por fin llega la noche señalada! Sentada en su cama, Kika oye cómo su madre le está leyendo un cuento a Dani antes de dormirse.

Kika frunce el ceño: su hermano ya tiene que saberse esa historia de memoria… ¡Es por lo menos la décima vez que se la leen! Menudo aburrimiento.

Mientras hace tiempo, Kika hojea uno de sus emocionantes libros de vampiros. Algunos pasajes aún le ponen la carne de gallina, a pesar de haberlos leído tantas veces. Y, encima, esos pavorosos dibujos...

Kika escucha la voz de Dani, que quiere oír el cuento por enésima vez, pero también las palabras salvadoras de mamá:

—¡Se acabó lo que se daba! Buenas noches, tesoro, y dulces sueños.

Kika apaga a toda velocidad la luz de su cuarto y se tapa la cabeza con la manta. Al poco rato, su madre aparece en el umbral.

—Kika, ¿duermes? —pregunta en voz baja.

Ella se da la vuelta en la cama y suelta un pequeño ronquido.

—Buenas noches, cariño —susurra su madre en voz aún más baja, y cierra la puerta de la habitación con mucho cuidado.

Kika confía en que esta noche den por televisión alguna cosa aburridísima, para que sus padres se vayan rápidamente a la cama. Aguza el oído. ¡Ha habido suerte! Poco después, la puerta de su dormitorio se cierra tras papá y mamá.

Kika decide esperar un rato aún, para asegurarse de que están dormidos, y mira por la ventana, enfrascada en sus pensamientos. No ha bajado la persiana de su habitación. Hay luna llena, y las nubes pasan por delante de ella. En la mente de Kika, esas nubes se convierten en vampiros con figura de murciélago… Un escalofrío de miedo recorre su espalda.

X

Así va transcurriendo el tiempo, hasta que Kika decide deslizarse fuera de su habitación y pegar la oreja a la puerta del dormitorio de sus padres. Silencio total. Tras mirar por el ojo de la cerradura, comprueba que la luz está apagada. ¡Todo listo!

De nuevo en su cuarto, Kika carga la mochila con su equipo para la aventura y se guarda su ratoncito de peluche en un bolsillo del pantalón. Esto es importantísimo, porque sin el ratoncito le sería imposible regresar a casa con el «Salto de la bruja». A continuación coge el guante del vampiro que la conducirá hasta Transilvania. ¡Ufff, qué olor a moho desprende, como si hubiera pasado una eternidad en un húmedo sepulcro de piedra!

Tras echar el último vistazo a su equipo para asegurarse de que no olvida nada, se cuelga el collar de ajos al cuello. Conviene que lo haga así, ¡no sea que aterrice justo ante las barbas de un vampiro!

El fuerte olor a ajo casi hace que se le salten las lágrimas.

—¡Con esta peste no habrá nadie que se me acerque, tanto si es vampiro como si no! —se dice Kika mientras conecta la alarma de su reloj de pulsera, para acordarse de emprender puntualmente el viaje de regreso. Debe estar de vuelta antes de que todos se despierten el domingo.

Respira hondo y aprieta contra su corazón el guante blanco que indica el destino del viaje. Hace ya mucho tiempo que se sabe de memoria la fórmula del «Salto de la bruja».

Después cierra los ojos y nota cómo sale flotando suavemente de la habitación...

Capítulo 2

El vuelo dura poco. Vientos huracanados rugen y sacuden violentamente a Kika. Su pelo ondea al viento. Siente un frío húmedo, y a su alrededor se cierne la más negra oscuridad.

Solo cuando siente tierra firme bajo sus pies, se atreve a abrir los ojos...

¡Uauuuu! ¡Ha aterrizado justo en el patio de un castillo! En sus cuatro esquinas se alzan altísimas torres oscuras. Los muros de piedra están ricamente decorados con relieves, aunque..., cuando Kika se fija mejor, descubre que se trata de símbolos malignos y rostros monstruosos.

—Un castillo mágico... —susurra Kika, impresionada.

Qué curioso: Kika esperaba aterrizar a la luz de la luna, pero los altos muros del castillo aún proyectan sombras sobre el suelo del patio.

Por la posición baja del sol, Kika deduce que la tarde debe de estar muy avanzada.

—Seguramente aquí los relojes funcionan de otra manera —razona.

Sabe que antes de la puesta de sol no encontrará un solo vampiro, y se siente aliviada y un poco decepcionada a la vez. Al fin y al cabo, se ha trasladado allí para ver vampiros de carne y hueso. Por otra parte, aún le queda bastante tiempo para ello, así que decide explorar el castillo.

¡Está deseando emprender su escalofriante aventura!

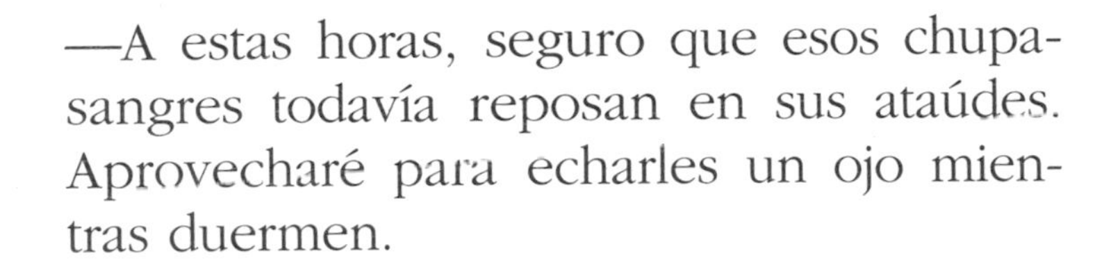

—A estas horas, seguro que esos chupasangres todavía reposan en sus ataúdes. Aprovecharé para echarles un ojo mientras duermen.

Kika acecha a su alrededor. La puerta principal del castillo, abierta de par en par, resulta una invitación irresistible. ¿Será una trampa? No lejos de allí, dos puertas más pequeñas también parecen conducir hacia el interior. Por precaución, elige una de las entradas secundarias y avanza con valentía.

De pronto, Kika aguza el oído. Le parece haber oído un leve gemido procedente de alguna parte... Ahora vuelve a reinar el silencio. ¡Qué extraño! Del interior del castillo le llega un soplo de aire frío. A Kika se le pone la carne de gallina.

—Bueno, estoy en los Cárpatos, y todo el mundo sabe que en la montaña siempre hace algo de fresco... —murmura en voz baja para darse ánimos, y entra en una sala que huele a madera quemada.

Kika ve dos chimeneas que aún conservan restos de leña calcinada, y a su lado descubre un fuelle gigantesco y un yunque.

En los estantes que flanquean las chimeneas se aprecia un tremendo desorden. En ellos se apilan espadas, escudos y extraños utensilios de metal. Kika se fija en los ricos candelabros y en unas extrañas máscaras de hierro, demasiado finamente trabajadas como para formar parte de la armadura de un caballero. ¿Para qué servirán? ¡Qué raro es todo aquello...!

—Esto tiene que ser la fragua del castillo —dice a media voz.

Y cuando se dispone a examinar las misteriosas máscaras, descubre una puerta de roble que da paso a un pasillo descendente. ¿Un pasadizo secreto? Kika no titubea ni un segundo. ¡Adelante, pronto lo averiguará!

El corredor está sumido en la oscuridad total, aunque, por suerte, Kika ha traído una linterna. A los pocos metros se detiene para sacarla de su mochila, pero antes

de encontrarla, la puerta se cierra de un golpetazo a sus espaldas. Kika gira la cabeza, asustada. Aquello está oscuro como boca de lobo, y el corazón se le ha subido a la garganta.

De pronto, una antorcha llamea a su lado y por poco le chamusca los pelos. Kika se lleva otro susto de muerte. La antorcha está sujeta a la pared mediante un sencillo soporte. ¿Quién la habrá encendido? ¡Por allí no se ve a nadie!

Sigue avanzando como hipnotizada, tan aturdida que incluso olvida comprobar si la puerta puede volverse a abrir desde dentro. El resplandor de la antorcha ilumina unos veinte o treinta metros de pasadizo, pero a pesar de todo, Kika enciende la linterna. Al parecer, el pasillo describe una curva a lo lejos.

—Vamos, vamos... Por lo menos, tengo que llegar hasta allí... —se anima Kika, y echa a andar con cautela, pero también con decisión.

Apenas llega a la curva, otra antorcha vuelve a llamear casi en sus narices. Kika se vuelve rápidamente. ¡La antorcha que ha dejado a su espalda se ha apagado! Qué extraño... Kika alumbra hacia delante. El rayo de luz de su linterna parece perderse en la oscuridad... ¿o aquello que se divisa al final es una puerta? Kika no está segura. Hay demasiada distancia.

—Bueno... ¿desde cuándo Kika Superbruja es una gallina? —continúa animándose ella misma, aunque con voz temblorosa.

A los treinta pasos más o menos, otra antorcha llamea junto a ella. Pero esta vez no ha cogido a Kika desprevenida. La luz se ha encendido ella solita a su paso, y al mismo tiempo, la antorcha que quedaba a su espalda se ha apagado.

—Yo diría que esto es cosa de magia..., ¡y de una magia de lo más práctica! —opina Kika—. ¡Hay que ver lo que saben estos vampiros! En lugar de un pasadizo secreto, un pasadizo de antorchas encantadas...

Poco después, llega a la puerta situada al final del corredor. Y justo cuando está a punto de agarrar el picaporte, ¡se abre con un chirrido, como movida por una mano espectral! Impresionada, Kika la traspasa y... la puerta se cierra sola. La verdad es que ya contaba con ello, aunque sí que se

queda patidifusa al comprobar que, vista desde este otro lado, no es más que una estantería llena de libros.

—Vaya, vaya... ¡Después de todo, sí que era un pasadizo secreto! —musita Kika.

Parece que ha llegado a la zona principal del castillo, porque el salón que ve, aunque muy polvoriento y repleto de telarañas, está lujosamente amueblado. Allí, Kika ya no necesita su linterna: por los cristales sucios de los ventanales entra la luz de la tarde, aunque muy atenuada.

Kika guarda la linterna en su mochila, saca una estaca de madera de su cinturón y la aferra como si fuera un puñal. ¡Piensa explorar el castillo así armada, por si las moscas!

Recorre lentamente el enorme salón. El suelo de madera cruje bajo sus zapatillas, lo que le impide deslizarse sin hacer ruido. ¡Porras! Kika se detiene a reflexionar. ¿Qué sucederá si la oyen? Aunque... ¿quién va a oírla? ¿Los vampiros? ¡Venga ya! No existe el menor peligro hasta que se ponga el sol, así que, ¡adelante!

Agarra con decisión el mortífero puñal de madera y ya se dispone a continuar con su exploración cuando vuelve a escuchar esa

especie de gemido lastimero. Es un sollozo muy débil, y procede de algún lugar del castillo, de eso no hay duda.

—¡Bah! Seguro que solo es un truco para asustarme… —se anima Kika.

Camina sin vacilar, a grandes zancadas, hacia una puerta artísticamente tallada, y lo que encuentra tras ella la deja boquiabierta: es una alcoba, con una enorme cama en el centro, enmarcada por cortinas de terciopelo rojo oscuro.

—¡Una auténtica cama con dosel! —resopla Kika, admirada, y echándose a reír añade—: En este castillo tan espeluznante, más que felices sueños deben de tenerse felices pesadillas en una cama como esa…

Pero algo le corta la risa en seco. ¿Qué ha sido eso? ¿No ha escuchado un ruido… procedente de la cama? Kika contiene la respiración y aguza el oído, pero solo oye el latido de su propio corazón.

Se aventura a dar unos pasos, pero no para salir de la habitación, ¡ni mucho menos! A pesar de que una vocecilla en su mente no para de gritarle: «¡Cuidado! ¡No te acerques más! ¡Lárgate de aquí!», Kika no puede evitarlo: *tiene que* mirar detrás de esas cortinas.

Ya se ha acercado lo suficiente como para tocar la tela de terciopelo. Inspira profundamente y se dispone a descorrerla de un tirón para echar una ojeada. Pero apenas roza las cortinas, estas se desintegran, convirtiéndose en polvo ante sus ojos.

Y antes de que la última mota de ese polvo haya caído al suelo, Kika se topa con una imagen horripilante: en la cama yace un esqueleto, y por si esta visión no fuera lo bastante terrorífica…

¡El esqueleto tiene clavada una estaca de madera en el pecho, justo en el lugar donde un día estuvo el corazón!

Kika traga saliva. ¿No habrá llegado el momento de pronunciar el conjuro para regresar a casa lo más deprisa posible? La verdad es que está aterrorizada, pero... *necesita* ver con sus propios ojos a los vampiros, cueste lo que cueste, y por muy grande que sea el peligro. ¡La indomable Kika Superbruja siempre está sedienta de aventuras!

Tras abandonar el dormitorio y recorrer unos largos pasillos, Kika entra en un gran salón de ceremonias en el que también reina el caos.

—Caramba, no sabía que los vampiros y yo tuviéramos algo en común... ¡Parece que a ellos tampoco les gusta ni pizca recoger sus cosas! —ríe Kika.

Al cruzar la estancia, sus pasos provocan un eco tan estruendoso que no oye el leve aleteo que la persigue desde hace un buen rato...

Kika avanza cada vez más deprisa.

En su cabeza se mezclan tanto el valor como el miedo, aunque nada le impedirá seguir adelante.

¡Ni siquiera un esqueleto de pacotilla, por terrorífico que sea, la apartará de su propósito!

De todas formas, si los datos que tiene sobre los vampiros son ciertos, a esa hora los chupasangres todavía deben yacer dormidos en sus ataúdes, así que el peligro es mínimo —bueno, tanto como mínimo..., no, pero sí menor.

Si logra echarles una ojeada, incluso podría escapar de ellos a la luz del día, si les diera por despertarse fuera del horario previsto.

«Los vampiros temen la luz más que ninguna otra cosa», piensa Kika, «de modo que sus ataúdes estarán en los sótanos». Aprieta los dientes y comprueba que su collar de ajos continúa en su sitio. Después saca el ratoncito de peluche del bolsillo de su pantalón. Si las cosas se ponen feas, con él podrá trasladarse rápidamente a su habitación por arte de magia.

Aferrando con fuerza el ratoncito en su mano izquierda y la estaca de madera en la derecha, Kika avanza con paso firme, en busca de una escalera que conduzca a los sótanos del castillo.

No sospecha que cuatro ojos recelosos llevan largo rato clavados en ella...

Kika encuentra por fin la escalera. ¡Puaajjjj, qué peste a moho! A medida que desciende, el hedor va en aumento, y la oscuridad también. No se atreve a utilizar su linterna para que nadie pueda descubrirla.

Al menos cuenta con la ventaja de la sorpresa…, o eso cree ella.

Casi en tinieblas, distingue una puerta entreabierta, pero por desgracia, la rendija no es lo suficientemente grande como para permitirle colarse por ella. Kika mira a su alrededor. Tras ella, la escalera, y delante, la puerta. Si pretende seguir, solo hay ese camino.

Con mucha cautela, se atreve a abrir un poco más la puerta. Un terrible crujido rompe el silencio, y por un momento, a Kika se le hiela la sangre en las venas. Aunque enseguida sonríe… ¡Menuda aventura! ¡Mucho mejor que las de todos sus cuentos de terror!

Aguza el oído para comprobar si alguien se ha despertado de golpe. Silencio. Nada… ¿O sí? ¿Qué ha sido eso? Parecía un batir de alas. Pero el sonido no procedía de la estancia que hay ante ella, sino de arriba.

Kika se da la vuelta, asustada, y mira hacia la escalera. No ve nada extraño. Vuelve a prestar atención. ¿Ha oído mal, o eso era el vuelo de una especie de pájaro?

Si ahora hubiera vampiros ahí arriba, habría caído en una trampa.

Pero no, no puede ser… Arriba hay luz, y ellos no la soportan, así que, ¡adelante!

Sujetando con fuerza el ratoncito, se atreve a avanzar hasta que logra ver la estancia entera…

¡Alucinante!

Allí hay por lo menos diez ataúdes, y uno es llamativamente pequeño.

Kika no sería Kika si ahora no se atreviera a dar el último paso, así que, aproximándose al ataúd pequeño, empuja con cuidado la tapa…

—¡Detente! —se oye susurrar a sí misma.

¡Cómo ha podido olvidarlo!

Los vampiros duermen con los ojos abiertos, pero hasta la mirada de un vampiro dormido es capaz de fulminar a una persona.

¡Las gafas de sol!

Kika saca sus elegantes gafas nuevas y se las pone. ¡Ahora, la tapa! La levanta un poco, y lo que ve a continuación ni siquiera la asombra.

En el ataúd duerme el pequeño vampiro al que Kika ya conoció en una ocasión. No le tiene miedo, ya que todavía no tiene la fuerza de un vampiro adulto.

Resulta curioso verlo ahí dormido, con un solo guante blanco. Kika deposita su botín en el ataúd, y mientras vuelve a correr la tapa, sonríe:

—¡Menuda sorpresa vas a llevarte cuando despiertes y veas de repente tu guante perdido!

Esta pequeña broma le ha dado ánimos para contemplar a un vampiro peligroso de verdad.

Escoge el ataúd más grande y se aproxima sigilosamente a él. A continuación se introduce las bolitas de cera en los oídos. La seguridad es la seguridad, y un alarido de vampiro no es ninguna tontería. Luego saca de su mochila el segundo par de gafas de sol y se las pone también.

Antes de levantar la tapa del ataúd, Kika echa otro vistazo a su espalda para cerciorarse de que el camino de huida hacia la luz está despejado. Aunque quizá debería haberse quitado las gafas para echar ese vistazo, ya que entonces habría visto la sombra que se ha deslizado furtivamente junto a la puerta del sótano...

Kika empuja con mucho cuidado la tapa del ataúd para deslizarla hacia un lado, pero pesa bastante más que la anterior. Empuja y empuja con todas sus fuerzas. Para tener las manos libres, sujeta el ratoncito de peluche entre los dientes. Casi lo ha conseguido... ¡solo falta un trocito!

Y, de pronto, sucede: la tapa se le escurre de las manos y cae al suelo con un estrépito infernal. Paralizada de horror, Kika contempla los pavorosos ojos del viejo vampiro que yace en el ataúd. No puede apartar la vista de ellos... Unos ojos terriblemente fríos y, sin embargo, ardientes.

Unos ojos indescriptibles.

Y… ¿acaso no se han movido? Kika está petrificada de espanto. Un sudor frío cubre su frente. Piensa en la estaca de madera, pero es incapaz de moverse. Hasta protegida por las dos gafas de sol, siente que la mirada del vampiro la traspasa. ¡Sí! ¡Ahora está segura de que sus ojos se han movido! El golpe de la tapa del ataúd contra el suelo ha despertado al no-muerto…

Incapaz de huir, Kika ve cómo el vampiro se incorpora a cámara lenta. Sus huesos crujen y rechinan como una vieja navaja oxidada. Kika intenta gritar, pero ni un solo sonido sale de su garganta.

El vampiro gira la cabeza de golpe y alarga hacia ella sus manos huesudas, acabadas en afiladísimas uñas. Pero de pronto hace una mueca de repugnancia.

—Ajo… —resuella.

X

Kika tiene suerte de no poder oír esa espeluznante voz de ultratumba, aunque sí puede leer la palabra en sus labios, tan pálidos como la muerte. Pero enseguida recupera la confianza en sí misma. ¡El chupasangres del ataúd no es invulnerable!

Espantado por el olor a ajo, el vampiro aparta de Kika su mirada fulminante, y ella aprovecha esa mínima distracción para salir como un cohete de la cámara sepulcral y subir las escaleras en busca de la luz del día.

¡Deprisa, deprisa! Los corredores parecen no tener fin. ¿Estará persiguiéndola el vampiro? Kika no se atreve a mirar atrás.

Casi sin aliento, por fin llega al patio del castillo. Allí, bajo la luz, se siente segura.

Las gafas de sol se le han caído durante su desesperada huida, pero en ese momento le da igual.

El sol ya está muy bajo, pero aún no se ha ocultado del todo.

¡Está a salvo!

Lo malo es que, si no llevara aún las bolitas de cera en los oídos, seguro que habría podido oír a los dos murciélagos que acaban de posarse muy cerca de ella.

Capítulo 3

Kika se sienta en el suelo del patio del castillo. ¡Todavía está intentando digerir el tremendo susto que acaba de pegarse en el sótano de los horrores!

De pronto se da cuenta, extrañada, del tremendo silencio que reina allí fuera. ¡Será boba! ¡Si aún lleva los oídos taponados!

Apenas se ha quitado los tapones de cera, escucha unas vocecitas finísimas a su espalda. Se gira rápidamente y, al ver a dos murciélagos junto a ella, su pulso se dispara de nuevo. ¡Lo que faltaba! ¡Ahora sí que no tiene escapatoria!

Casi no puede ni balbucear:

—Yo creía que no podíais... quiero decir... ¡esto es imposible! Si estáis... ¡sentados!

—Pues claro que estamos sentados. ¿Algún problemita? —replica uno de los murciélagos con tono fanfarrón.

—Bueno, en realidad preferiríamos estar colgados... cabeza abajo, por supuesto... —añade el otro murciélago.

Kika no entiende nada. Está boquiabierta.

—Sí, cla-cla-cla-ro..., pe-pe-pe-ro... —tartamudea—, pe-pe-pe-ro... ¡es que estáis sentados a la luz del día!

—Vaya, ¡no me digas, chica lista! —rezonga el mayor de los dos—. ¿Y sabes de quién es la culpa?

—Sí, señorita: ¡tuya, y nada más que tuya! —le regaña el otro murciélago—. ¡Nos has despertado!

Kika no da crédito a lo que está viendo. ¡Esos vampiros con forma de murciélago pueden seguir viviendo a la luz del día! ¿Qué es lo que está pasando allí? ¡Todos sus libros aseguraban que la luz era mortal para los vampiros! ¿Es que los libros no valen para nada? ¿Es que están equivocados?

Uno de los murciélagos arranca a Kika de sus cavilaciones:

—¿Te han enviado de Boteburgo?

—¿Enviado? ¿De Bote...dónde? —Kika no entiende ni jota.

Los murciélagos ignoran la cara de circunstancias que pone Kika, y uno de ellos añade:

—Pues no has tenido mucho éxito que digamos..., ¡pero sí valor! ¡Mira que bajar al panteón así, sin más, y abrir precisamente el ataúd del conde Drácula!

—¿El conde... glupsss... Drácula...? —repite Kika con un hilo de voz. ¡Sigue sin comprender nada de nada!

—Con toda seguridad, eres la primera niña que se atreve a despertar al señor de los vampiros —sigue parloteando el primer murciélago.

—¡Y con toda seguridad, también la primera humana que escapa de su mirada fulminante! —añade el segundo.

—Un momento, un momento... —les interrumpe Kika—. ¿Es que vosotros no sois...?

—¿Vampiros? —exclaman ambos murciélagos a la vez—. ¡Ni que todos los murciélagos lo fuéramos! —y empiezan a troncharse de risa.

Kika, sin embargo, no está para bromitas. Está segura de que esos dos perversos vampiros solo quieren divertirse a su costa, burlarse de ella antes de chuparle la sangre. Aunque..., por otra parte, la verdad es que tienen una pinta de lo más inocente. ¿Se tratará de un truco para confundirla, o al final resultará que son dos murciélagos corrientes y molientes?

¡Un momento! Se le ha ocurrido el modo de comprobarlo...

Sin quitarles la vista de encima, Kika rebusca en su mochila, saca su espejito y lo coloca delante de la nariz de los dos murciélagos. ¡Qué alivio! Ambos proyectan un reflejo clarísimo, así que está garantizado que no son vampiros. Kika respira tranquila.

—¡Bah! ¡Otra típica habitante de Boteburgo! —dice uno de los murciélagos con tono despectivo.

—¿Qué les pasa a los habitantes de Boteburgo? —quiere saber Kika.

—Pues que toman por vampiro a cualquiera de nosotros… solo porque a los dos nos gusta chupar sangre —explica el otro murciélago.

—¿Tú tomarías a una mosca por un elefante solo porque los dos tienen trompa, eh, eh, eh? —continúa el primer murciélago, y los dos estallan en carcajadas con su propio chiste.

Cuando se calman un poco, Kika aguza de nuevo el oído. ¡Acaba de escuchar otra vez ese gemido lastimero!

—¿Tenéis idea de lo que puede ser eso? —pregunta a los murciélagos.

—Claro, son las «reservas de sangre» de Drácula. Gentes de Boteburgo... Sus lamentos se debilitan día tras día. No creo que aguanten ya mucho tiempo.

—¿Qué significa eso? —pregunta Kika, estupefacta.

La verdad es que se imagina bastante bien a qué se refieren los murciélagos, pero la idea le parece tan horrenda que, simplemente, no le entra en la cabeza.

—Ven con nosotros —dice el primer murciélago, y cruza el patio aleteando hasta llegar a una de las puertas laterales del castillo.

Kika está tan furiosa que se olvida de la cautela y sigue rápidamente al murciélago. Los tres continúan por un largo corredor que se va estrechando y conduce hasta una mazmorra con fuertes rejas.

Los murciélagos tenían razón: tres niños y dos adultos yacen allí, sobre el húmedo suelo de piedra. Están tan débiles que ni siquiera pueden mostrar alegría cuando Kika les grita que ha venido a liberarlos.

Solo una niña de gruesas trenzas reúne las fuerzas suficientes como para gemir:

—¡Ayúdanos o estaremos perdidos para toda la eternidad!

Kika saca su libreta de notas del bolsillo. A la luz mortecina del corredor apenas logra leer las fórmulas mágicas que ha anotado para ese viaje, pero consigue recitar el «Hechizo separalotodo[2]». Ya lo probó un día en su habitación, y sonríe satisfecha al recordar cómo la puerta salió disparada de su marco.

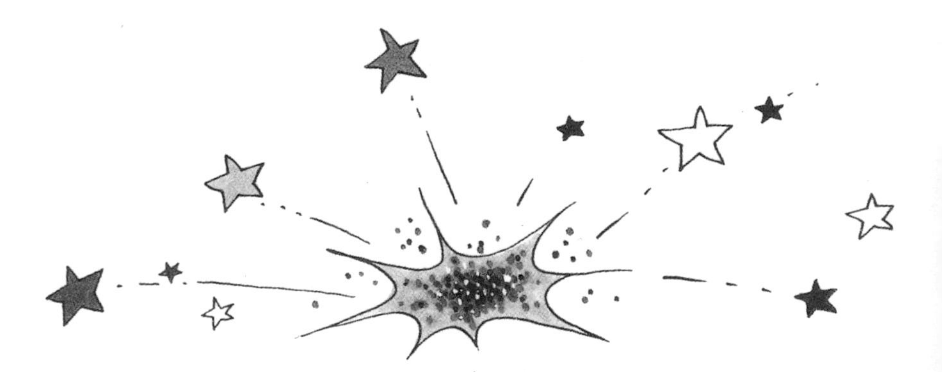

—No estaría nada mal que ahora ocurriera lo mismo... —murmura.

[2] Si quieres saberlo todo sobre este hechizo, podrás encontrarlo en *Kika Superbruja y la ciudad sumergida*.

Entonces empieza a recitar la fórmula mágica, y la pesada puerta de hierro se abre de golpe... ¡al mismo tiempo que los pantalones se le caen al suelo! Kika se los sube a toda prisa y en un periquete conduce a todo el grupo a la luz del día.

¡Está claro que Kika ha cambiado de planes! En realidad pensaba regresar a casa inmediatamente, pues ya ha conseguido su propósito: ver vampiros de verdad. Pero ahora tiene que ayudar a esa pobre gente. ¡Quién sabe cuántas noches les habrán chupado ya la sangre los vampiros...!

Kika realiza la prueba del espejo para cerciorarse de que las víctimas no se han convertido aún en no-muertos, y todos muestran todavía un reflejo muy claro, excepto la niña más pequeña. Su imagen es tan pálida que apenas se ve. ¿Logrará recuperar sus fuerzas algún día? ¿Podrá salvarse aún? Kika acaricia la cabeza de la pequeña y le dice para animarla:

—Lo conseguiremos, ya lo verás.

Todos están demasiado agotados como para ponerse a salvo por sí mismos, y hay que darse prisa… ¡El sol ya está muy bajo!

—Tengo que llevarlos a Boteburgo —dice Kika en voz alta; y después pregunta a los murciélagos—: ¿Está muy lejos? ¿Hay línea de autobús?

—¿Auto...qué? —repiten ellos, atónitos.

—Quiero decir... ejem... que... ¿cuándo llega el próximo carruaje? —se corrige Kika, que con los nervios ha olvidado que se encuentra en una época pasada.

—Tendrás que conducirlo tú misma, y además, enganchar los caballos. El conde Drácula chupó la sangre al cochero y al caballerizo del castillo hasta convertirlos en vampiros. Pero su carroza sigue en el establo, junto a la puerta principal del patio.

Kika se encamina en la dirección indicada y enseguida se hace con un par de caballos y un carruaje. ¡Qué suerte haber ido a montar tantas veces con su amiga Mónica!

A pesar de todo, le cuesta un buen rato atar los dos hermosos caballos negros a la carroza, también negra como la pez. Cuando por fin lo consigue, el sol está poniéndose ya.

Kika se apresura a ayudar a las extenuadas personas a subir a la carroza. ¡Qué pálidas están!

Después hace restallar el látigo sobre las cabezas de los caballos, que se ponen en marcha a toda velocidad. Los murciélagos los preceden por el aire e indican a Kika el camino de Boteburgo.

Traqueteando, el carruaje avanza rápidamente hacia el sol rojo que se oculta cada vez más aprisa. No se divisa una sola casa aún, y ya hace mucho rato que han dejado atrás el castillo de Drácula.

Durante el trayecto, Kika se ha puesto un abrigo de cochero y un sombrero de cuero que ha encontrado en el establo, y sentada en el pescante mientras agita el látigo tiene una pinta verdaderamente impresionante.

—¡Arre, arre! —grita entusiasmada.

Cuando cae la noche, un pueblo aparece al fin en el horizonte.

—¡Boteburgo! —le grita uno de los murciélagos.

Alrededor de la población se extiende una muralla no muy alta que seguramente ofrece poca resistencia a los atacantes. Al aproximarse más, Kika descubre que la supuesta muralla es una simple valla completamente cubierta de ajos.

El pueblo parece desierto. Nadie se deja ver mientras Kika conduce la carroza por las callejuelas vacías y oscuras. Por fin, obliga a los caballos a detenerse en la plaza, delante de la iglesia.

—¡Ehhhhhh! ¿No hay nadie por aquí? —grita—. ¡Vuestra gente necesita ayuda!

No hay respuesta. Seguro que todos la observan a través de las ventanas atrancadas, o por las rendijas de las puertas. ¿La tomarán por un vampiro disfrazado?

Salta del pescante y ayuda a salir a sus protegidos. Si están observándola, ¡eso debería ser una prueba suficiente de buena voluntad! Pero sigue sin ver a nadie.

Los dos murciélagos, agotados por el vuelo, están posados en el techo del carruaje. Kika recuerda lo que le contaron sobre los desconfiados habitantes de Boteburgo, y se le ocurre una idea.

Vuelve a subir al pescante y se dirige a ellos en voz alta, para que resuene en la plaza:

—¡Muchísimas gracias, queridos murciélagos! Sin vosotros, jamás habría conseguido liberar a los pobres prisioneros del castillo de Drácula. Tomad, comed un poco de ajo para recuperar las fuerzas...

Entonces arranca un ajo de su collar protector y se lo lanza para que se lo coman. Ellos no parecen muy entusiasmados, y miran a Kika con fastidio.

—¡Comed! —les susurra ella—. Como agradecimiento, luego podréis escoger las vacas y cerdos más apetitosos y chuparles un poco de sangre, ¡os lo prometo!

Con los colmillos todavía más largos de lo habitual, los dos murciélagos se disponen a comerse los apestosos ajos.

¡Bingo! ¡El truco de Kika funciona! Al principio, los habitantes del pueblo van abandonando de uno en uno sus escondrijos, pero después salen en tromba de todas las casas.

La plaza se llena de gente, y el júbilo es enorme cuando vuelven a abrazar a los amigos que daban por perdidos.

El boticario Para Cetamol se ocupa al momento de sus debilitados vecinos:

—Mis grageas de ajo reanimarían a un muerto y, por supuesto, a cualquier víctima de los vampiros —promete.

Kika no necesita dar muchas explicaciones. Las gentes del pueblo ya han reparado en las temibles estacas de madera que Kika luce en su cinturón.

¡Tienen ante ellos a toda una cazavampiros, no hay duda! ¡Y la primera en liberar cautivos del castillo de Drácula!

Kika es aclamada como una heroína. Los vecinos traen antorchas, ya que por fin ha oscurecido, y también ricas viandas y bebidas. Kika se ve obligada a probar incluso un sorbito de vino con miel.

La plaza del mercado parece un salón de baile magníficamente iluminado. Todos quieren estrechar la mano de la cazavampiros, y le hablan con tanto entusiasmo que Kika no consigue tomar la palabra.

El boticario también la felicita:

—¡Seguro que gimió horriblemente cuando lo mataste!

—¿Matar...? ¿A quién...? —balbucea Kika.

—¡Sin duda le atravesarías el corazón con una de tus estacas! —exclama Para Cetamol—. Sin haber acabado con él y con sus repugnantes compañeros, jamás habrías logrado liberar a nuestros vecinos cautivos.

Entonces Kika le responde con toda la tranquilidad posible que no ha hecho nada de eso. El boticario pestañea asombrado y enseguida grita, presa del pánico:

—¡Que Dios nos proteja! ¡Dice que el conde Drácula no está muerto!

Sus palabras pasan de boca en boca a la velocidad del rayo, y en la plaza se hace un repentino silencio. Solo se oye el crepitar de las antorchas.

—Pero seguro que te habrás llevado por delante a algún otro vampiro, ¿verdad? —pregunta a Kika otro de los habitantes del pueblo.

—¡No, yo no he matado a ningún vampiro! —explica Kika en voz alta—. Yo he…

Pero antes de que pueda continuar, estalla un tumulto en la plaza del mercado. Todos empiezan a soltar alaridos de terror a la vez.

—¡En ese caso, pongámonos a salvo, vecinos! —vocifera alguien—. ¡Antes de que salga el sol, esos engendros del infierno estarán aquí y tomarán cumplida venganza de nosotros!

—¡Serenidad, amigos míos, serenidad…! —intenta calmar los ánimos el boticario.

Pero ya no hay tranquilidad posible. Todos corren a ocultarse, y al instante, la plaza queda desierta. Solo unos cuantos valientes se han quedado junto a Kika.

—¡Dinos qué debemos hacer! —le ruega el boticario—. ¡Tú debes saberlo! Al fin y al cabo, has liberado a los prisioneros de los colmillos de Drácula.

Kika se devana los sesos. ¿Cómo va a dar precisamente *ella* un consejo a los habitantes de Boteburgo? Si apenas tiene experiencia en vampiros…

—¿Cuándo volverá a salir el sol? —pregunta al fin.

—Entre las cuatro y las cuatro y media.

—Si al menos supiera cómo detenerlos hasta entonces... —reflexiona Kika en voz alta; y enseguida, otra pregunta ronda por su cabeza—: ¿Cómo es posible que los vampiros entren en vuestro pueblo, si tenéis todo cubierto de ajos?

—¡Ojalá lo supiéramos! —responde el boticario Para Cetamol—. Ninguno de nosotros los ha observado jamás con atención, ya que todos nos escondemos cada vez que aparecen.

—Sí..., aunque tampoco eso sirva de nada... —sigue explicando otro vecino—. ¡Siempre se apoderan de dos o tres de nosotros!

—¡Y con luna llena atacan con especial ferocidad! —añade el boticario.

Las miradas de todos se dirigen rápidamente al cielo... ¡¡¡Luna llena!!!

En ese instante, el reloj de la torre de la iglesia da doce campanadas, y Kika comprende lo que eso significa.

Todos los ojos están ahora clavados en ella.

Capítulo 4

Al oír las campanadas del reloj, a Kika se le ha ocurrido una idea genial para poner en fuga a los vampiros.

Pero antes de que pueda explicar a los habitantes de Boteburgo su «plan de defensa contra chupasangres», un vecino irrumpe en la plaza dando gritos de pánico:

—¡Que vienen! ¡Los he visto volar desde la torre de la iglesia! ¡Se aproxima una gran bandada de murciélagos!

—¡Sálvese quien pueda, o nosotros seremos sus primeras víctimas! —exclama otro vecino.

—Pero, ¡escuchadme! ¡Mi plan...! —grita Kika, desesperada.

Con grandes dificultades, consigue explicar a los valientes vecinos que aún quedan en la plaza las líneas maestras de su plan de emergencia. Después, todos se dispersan corriendo y desaparecen en las callejuelas de Boteburgo.

—¡Por favor, por favor, haced lo que os he dicho! —les suplica Kika mientras se alejan.

Pero, con semejante nerviosismo, ¿la habrán escuchado siquiera?

Hasta los dos murciélagos la abandonan:

—¡Nosotros nos largamos! —dice uno.

—¡Y tú deberías hacer lo mismo! —añade el otro.

Y se elevan en el aire.

Kika está completamente sola en mitad de la plaza oscura. En algún lugar todavía arde una antorcha solitaria. La luna llena se oculta detrás de una nube.

Muy arriba, en el campanario de la iglesia, resuena el grito incesante de una lechuza. Kika lleva un buen rato oyéndolo, pero ahora le parece como si la lechuza le gritara: «¡Ahora túúúú, ahora túúúú…!».

Durante un segundo piensa que ha llegado el momento adecuado para dar el «Salto de la bruja» y regresar a casa. Pero su obstinación vence a su miedo.

¡Ahora o nunca! ¡Kika Superbruja presentará batalla al conde Drácula y a su cuadrilla de vampiros! Y si los vecinos de Boteburgo siguen las indicaciones de su plan de defensa, ¡aún queda esperanza!

Kika corre decidida hasta la cercana iglesia y sube a grandes zancadas hasta la torre. Cuando llega al campanario está sin aliento. Allí cuelgan las dos campanas, aunque la mayor parte del espacio lo ocupa el mecanismo del gran reloj.

El viento silba con fuerza mientras Kika trepa a la abertura en forma de ventana que permite divisar la puerta del pueblo. Al pasar junto al mecanismo del reloj de la torre, se topa con los dos murciélagos. Están colgados boca abajo, completamente

envueltos en sus alas, de manera que ni siquiera la ven. De todos modos, ahora no hay tiempo para saludos.

Kika saca sus prismáticos de la mochila y observa el cielo nocturno... justo a tiempo de divisar a la luz de la luna llena cómo unos murciélagos gordísimos aterrizan junto a las puertas de Boteburgo. ¡Cuenta por lo menos siete!

A continuación también contempla con un escalofrío cómo los siete murciélagos recuperan su figura de vampiros. Incluso le parece ver que el más corpulento de todos reparte algo entre los demás... ¡Porras! A esa distancia, ni siquiera con sus prismáticos puede distinguir de qué se trata.

Los siete seres pavorosos avanzan hacia las puertas del pueblo, con el mayor en cabeza. Poco después, Kika deja de verlos porque los tejados de las casas los ocultan.

¡Ha llegado el momento de poner en práctica su parte del «plan de defensa contra chupasangres»! El enorme mecanismo de relojería tiene un montón de ruedas dentadas y palancas que encajan entre sí y giran en diferentes lugares.

Por fin, Kika encuentra lo que buscaba: una barra larga y fina que une el reloj al badajo de una campana.

Kika cambia de sitio una palanca y manipula el mecanismo de las campanadas...

Mover la gran rueda que permite adelantar o atrasar el reloj cuesta mucho, y Kika tiene que recurrir a toda su fuerza para lograr que las agujas marquen las cuatro menos cinco.

—Las próximas campanadas serán las de las cuatro —dice sonriente, y vuelve a ocupar su punto de observación en la ventana.

Ahora ya no necesita los prismáticos, porque la clara luz de la luna llena le permite distinguir a simple vista cómo el conde Drácula llega a la plaza del pueblo. El corazón de Kika late desbocado. Parece como si, con la aparición del vampiro, el viento gélido se paralizara, y hasta la lechuza gritona enmudece al verle.

El conde Drácula resulta terrorífico incluso a esa distancia, y al mismo tiempo majestuoso. Aunque... en su rostro hay algo que no encaja. Kika vuelve a recurrir a los prismáticos, y entonces tiene que contener una carcajada.

Acaba de comprobar con qué sencillo truco los vampiros consiguen atravesar paredes cubiertas de ajos: ¡con una pinza de tender la ropa en la nariz! ¡Esa era la solución del enigma! Una simple pinza para no oler el ajo. De modo que todo el mundo cree que las pinzas de tender la ropa existen solo desde mil ochocientos y pico, ¡pero resulta que los vampiros de Transilvania ya las habían inventado en la Edad Media!

Sin embargo, la risa de Kika se corta en seco al ver al resto de los vampiros. Todos llevan pinzas en la nariz, por supuesto, pero su aspecto no resulta tan divertido... Y es que ya se han apoderado de algunas personas. Sus víctimas son niños y ancianos paralizados por el pánico.

—¡El primer mordisco me pertenece! —brama el conde Drácula.

Kika mira el reloj de la torre. Solo falta un minuto para las campanadas.

El conde se dispone a morder el cuello de una hermosa jovencita.

Kika vuelve a mirar el reloj. Cada segundo le parece una eternidad.

—¡Da las cuatro de una vez! —sisea mientras aprieta nerviosamente los prismáticos.

Los colmillos del vampiro centellean, blancos como la nieve, y Kika aparta los prismáticos para no ver semejante atrocidad.

Por fin, el reloj de la torre da cuatro campanadas.

Perplejo, el conde Drácula se aparta de la joven.

—¡Imposible! —ruge mientras mira el reloj de la torre—. ¡Todavía no! ¡Si hace un momento era medianoche!

—¡Y hemos echado a volar con toda puntualidad! —asienten furiosos los otros vampiros.

—¡Quieren embaucarnos con ese reloj trucado! —añade el conde con una escalofriante risita—. ¡Esta chusma humana osa burlarse de mí! Muy bien... Como castigo, ¡les chuparé el doble de sangre!

Y vuelve a alargar sus manos huesudas hacia la joven, que se ha desmayado de miedo y yace inconsciente a sus pies.

—¡Vamos!, ¿a qué esperáis? —susurra Kika.

¿Por qué los vecinos del pueblo no hacen nada? ¿Es que el pánico les ha hecho olvidar su plan contra los vampiros? ¿O es que ni siquiera lo han entendido? A Kika le gustaría gritar de rabia. El conde ya está a punto de morder a la muchacha. Y entonces, por fin… ¡canta el primer gallo! Y luego un segundo, y un tercero…

No es de extrañar: después de que el reloj de la torre haya dado las cuatro, los gallos han sido arrancados de su sueño por los vecinos y pellizcados hasta que han empezado a cantar. ¡El plan ha salido como Kika había previsto! Los vampiros se llevan un susto de muerte. Temerosos de ser alcanzados por el primer rayo de sol, hunden los rostros en sus capas.

El conde Drácula es el primero en recuperar el control.

Con mucha cautela, echa un ojo por debajo de su capa y grita a sus secuaces:

—¡No os dejéis engañar! ¡Es otro truco!

Pero su voz tiembla, y su tono ya no resulta tan pavoroso.

—¡Pretenden embaucarnos! —dice a sus vampiros con tono imperioso.

Pero ellos siguen oyendo cantar a los gallos a pleno pulmón y aún se sienten inseguros. Sin embargo, poco a poco también se atreven a echar un vistazo al cielo.

Una nube acaba de deslizarse por delante de la luna... Pero incluso sin luna llena comprueban que sigue siendo noche cerrada.

—¡El conde tiene razón! —admiten todos.

—¡Ahora veréis lo que es bueno, paliduchos! —exclama Kika mientras saca de la mochila el arma principal de su plan—. ¡Voy a daros vuestro merecido!

Y un intenso rayo de luz refulge desde lo alto y se concentra... ¡directamente en los ojos de Drácula!

Un alarido de terror resuena por todo Boteburgo. Cegado, el conde da media vuelta y oculta de nuevo el rostro debajo de su capa.

—¡El primer rayo de sol! ¡Sálvese quien pueda! —ordena, y en ese mismo instante, siete murciélagos se elevan hacia la oscuridad de la noche.

Cientos de gargantas prorrumpen en gritos de júbilo. ¡Son los habitantes de Boteburgo!

Pronto, el pueblo entero se moviliza para celebrar la victoria sobre los vampiros.

Kika continúa arriba, en la torre, y saluda con la mano a la multitud. Está muy orgullosa de que su plan haya salido tan bien. La gente vitorea a su heroína. ¡La mejor cazavampiros de todos los tiempos ha enseñado lo que es el miedo al mismísimo conde Drácula! Aunque la verdad es que ninguno de ellos acierta a explicarse el origen de ese primer rayo de sol…

Kika baja de la torre y festeja la victoria con sus nuevos amigos hasta bien entrada la mañana.

Por fin, la alarma de su reloj le recuerda que ha llegado el momento de volver a casa, aunque aún debe resolver algo… Kika se ha fijado en las arrugas de preocupación en la cara del boticario Para Cetamol.

Aunque el pueblo entero flote en una nube de alegría, todos saben que solo han ganado una batalla, pero no la guerra. Los chupadores de sangre volverán… ¡la próxima luna, como muy tarde!

A Kika se le ha ocurrido otra idea para que los habitantes de Boteburgo puedan protegerse contra ese peligro mortífero.

Antes de la partida definitiva, le explica lo siguiente a Para Cetamol:

—Tendréis que veros las caras con un enemigo formidable. ¡Los vampiros se han vuelto muy astutos! Su treta de la pinza en la nariz impide combatirlos con ajos. Pero ¿qué pasa con el agua?

—¿Agua? ¿Acaso crees que no lo hemos probado? Primero con agua salada, después con agüilla de la nariz y, finalmente, incluso con 4 711 garrafas de *Colonium Aquarium Aliolium* —gime el boticario.

—¡No me refiero a eso! —dice Kika—. ¿Es que no habéis oído que los vampiros no pueden sobrevolar el agua, ni siquiera en forma de murciélago?

—Claro que sí. Pero… qué le vamos a hacer: por desgracia, no vivimos en una isla.

—¡Entonces tenéis que convertir vuestro pueblo en una isla! —exclama Kika—. Construid un foso alrededor de Boteburgo… ¡y desviad el río hasta él! Yo tengo que marcharme ya. ¡Os deseo mucha suerte!

Dicho esto, Kika entra en una de las oscuras callejuelas del pueblo.

No quiere ser observada durante el «Salto de la bruja».

Una última mirada a Boteburgo, y se mete la mano en el bolsillo del pantalón, pero... ¡OH, NO!

¡Su ratoncito de peluche ha desaparecido, y sin él, no puede efectuar el hechizo para volver a casa! Registra a toda prisa su mochila, busca en todos los bolsillos del pantalón... ¡El ratoncito de peluche no aparece!

Kika se exprime el cerebro. ¿Dónde lo tuvo por última vez? NO… NO PUEDE SER CIERTO: ¡en la cámara mortuoria! Al destapar la tapa del ataúd, lo aferró para regresar con él en caso de apuro. Debió de caérsele de la mano. ¡Porras! ¡Porras! ¡Porras!

Kika mira su reloj. Hace mucho que debería estar en casa. Por su cabeza pasan mil ideas y posibilidades. Y entonces echa a correr. De vuelta a la plaza del mercado.

El coche de caballos…

Una de las bridas…

La gente le habla, pero ahora no puede andarse con cortesías. Kika aprieta la brida contra su corazón, murmura un hechizo, cierra los ojos y… ¡ZASSS!

¡Está en las caballerizas del castillo del conde Drácula!

Mira por la ventana: fuera, los vampiros se deslizan por el patio. Kika saca a toda prisa de la mochila su disfraz de vampiresa: la capa impermeable contra la lluvia y los colmillos de plástico. No tiene tiempo para el maquillaje blanco...

Así, una nueva vampiresa de estatura mediana se desliza fuera del cobertizo, cruza el patio y entra en el castillo de Drácula para dirigirse derechita hacia el sótano...

—¡Buen mordisco, señorita! ¿Adónde vas con tanta prisa, bella damisela? —le pregunta uno de sus «colegas».

Kika prosigue su camino, farfullando algo a través de sus colmillos de plástico. Solo entonces se da cuenta de lo difícil que es hablar con esos chismes puestos.

—¿Puedo invitarte a un ponche de sangre a la luz de la luna? Solo nosotros dos... —insiste el vampiro.

«¡Lo que me faltaba! ¡Ahora, un chupasangre quiere ligar conmigo! ¡No me lo puedo creer!», piensa Kika, fastidiada, mientras trata de responder con amabilidad:

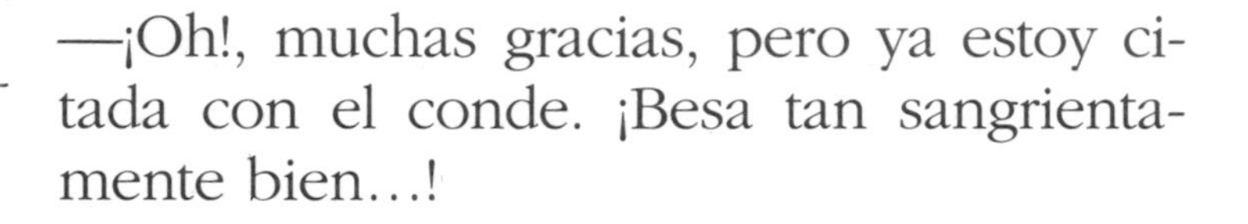

—¡Oh!, muchas gracias, pero ya estoy citada con el conde. ¡Besa tan sangrientamente bien...!

¡Ha dado en el clavo! Su pretendiente se retira ofendido.

Adelante, hacia el sótano...

Escaleras abajo...

La cámara sepulcral...

Los ataúdes aún están vacíos...

¡Y justo junto al de Drácula, está el ratón!

Kika se dispone a cogerlo, pero...

—¡Ha de la cripta! —resuena una voz a su espalda.

Una voz inconfundible.

¡Oh, no! ¡Él, no!

Ante todo, nada de volverse y mirarle. Kika no lleva puestas sus gafas de sol, así que fija la vista en el suelo.

—Aquí sucede algo extraño. Huelo a... —continúa la voz.

¡Porras!

Kika no se atreve a moverse.

No necesita levantar los ojos para saber que el conde está detrás de ella.
Junto a la puerta.
Impidiéndole salir.

—¡Huelo a carne humana…! —exclama Drácula.

—¡Por eso estoy aquí! —farfulla Kika—. He venido a buscaros. ¡A vos os corresponde el primer mordisco!

—¿Dónde, dónde está? —pregunta él, ansioso.

—Creo que ahí, en el ataúd…

Escucha los pasos del conde aproximándose. Ahora debe de estar detrás de ella para mirar en el ataúd. ¡Ante todo, no volverse!

—Pues vaya, parece que el humano no está aquí… —dice Kika, agachándose muy despacito.

Ahora sostiene en la mano su ratoncito de peluche. Pero como empiece a murmurar la fórmula mágica para el «Salto de la bruja», el conde se abalanzará sobre ella. De manera que nada de perder los nervios… ¡ni de mirarle, por nada del mundo!

—Ahora que lo pienso, creo que he visto al humano en... —Kika salta hacia un lado y echa a correr escaleras arriba.

Atraviesa los grandes salones del castillo y corre para salvar su vida. Tras ella, escucha el silbido de la capa del conde Drácula.

Apretando el ratoncito contra su corazón, musita la fórmula mágica sin parar de correr. ¡Nada! El «Salto de la bruja» no funciona. ¡Porras! A lo mejor es culpa de los colmillos de plástico, que le han impedido pronunciar bien el sortilegio.

Sigue corriendo. Con el aliento de Drácula en su espalda alcanza la salida, escupe los dientes y comienza a musitar de nuevo la fórmula mágica. Antes de terminar oye un alarido espantoso. ¡Nada de volverse!

Solo entonces cae en la cuenta: ¡está a salvo!

Y es que, en ese momento, los primeros rayos de sol inundan el patio del castillo.

¿Habrán alcanzado al conde? En ese caso, estaría muerto y convertido en polvo.

Sin osar volverse hacia él, Kika aprieta su ratoncito contra el corazón y murmura la fórmula…

—¿De dónde has salido tan de repente?

¡Dani!

¡En su habitación!

Kika se deja caer sobre la cama.

Le tiemblan las rodillas.

—¿De dónde has salido tan de repente? —insiste Dani—. Tú…, tú no estabas aquí hace un momento… —balbucea el niño.

—Bueno, tú también apareces siempre de repente en mi cuarto sin llamar a la puerta, y yo sí que tengo que aguantarme, ¿no? —bromea Kika mientras le acaricia la cabeza.

¡Buffff! ¡Menuda aventura!

Truco de vampiro

«El murciélago volador»

¿Sabíais que hasta las arañas temen a los vampiros? Si quieres comprobar si un murciélago es de verdad o un vampiro transformado, coloca simplemente una araña a su lado. Si esta sale pitando, tú también deberías poner pies en polvorosa. Si se queda quieta, no existe el menor peligro de mordisco inmediato.

Para impresionar a Dani, Kika se ha inventado un truco de murciélago vampiro verdaderamente genial. Es el siguiente:

1. Dobla varias veces un pliego de papel de seda negro, dibuja una araña encima y la recorta. De este modo obtiene varias arañas.

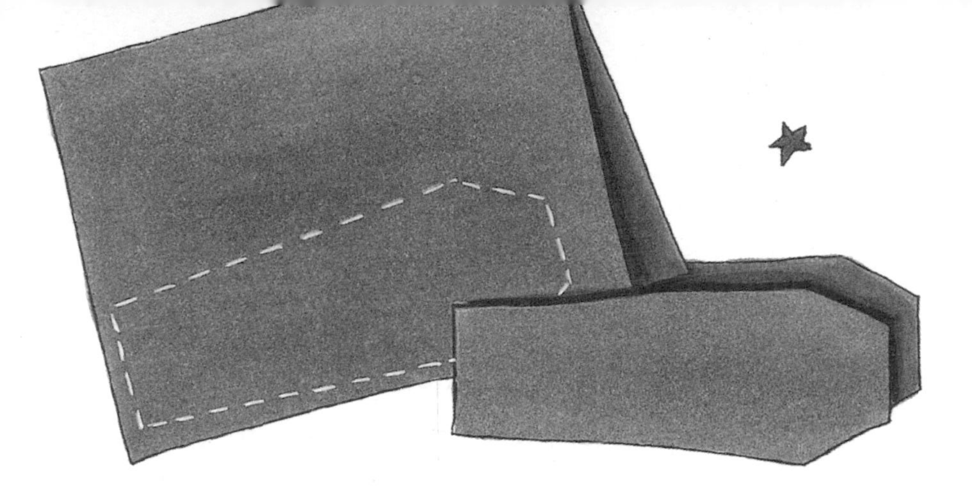

2. Recorta dos tapas de ataúd en cartulina marrón y las pega sobre una base grande de cartón. Esto será el sótano del castillo de Drácula. Coloca todas las arañas en una de las tapas de ataúd.

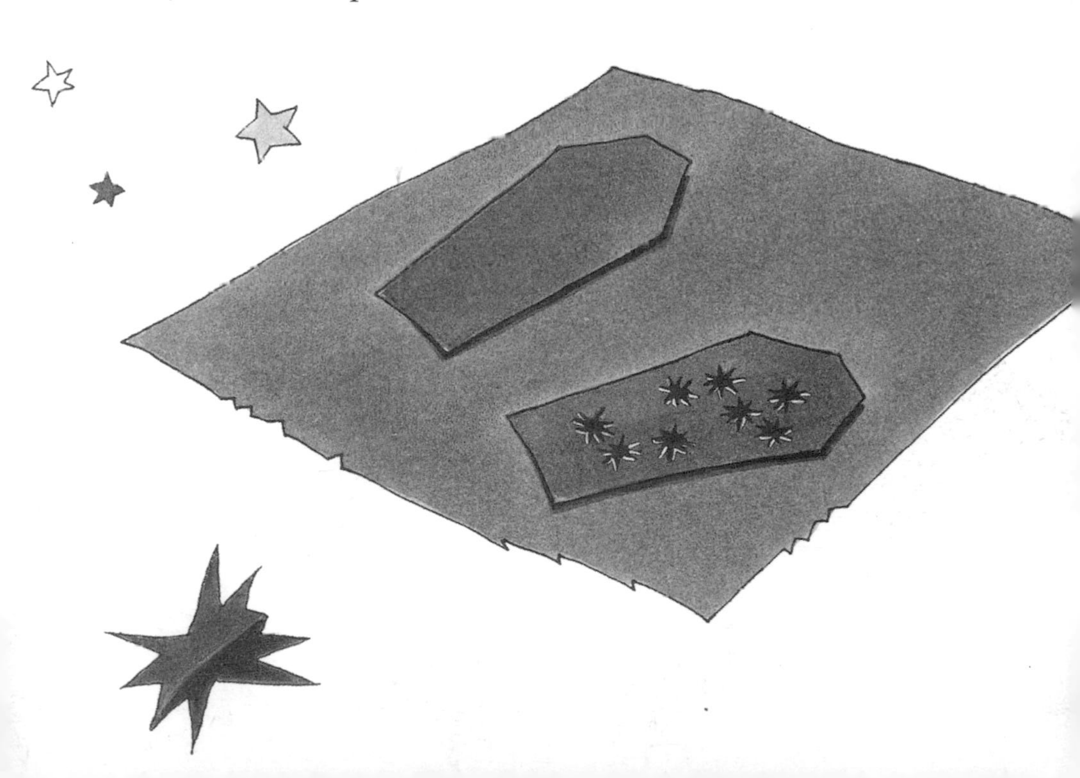

3. Recorta un murciélago en cartulina gris. Luego pasa un hilo, primero a través del murciélago, y a continuación por una pelota de pimpón.

4. Anuda un extremo del hilo a la pelota de pimpón y ata el otro extremo a un palito de madera.

Ahora viene el truco: frota enérgicamente la pelota de pimpón contra una prenda de lana.

5. El murciélago vuela sobre el sótano… Las arañas empiezan a saltar… ¡Aaaah…! ¡¡¡Un vampiro auténtico!!!

Tras el primer susto, Dani se atreve a jugar con Kika, y entre los dos compiten para ver quién hace saltar más arañas de una tapa de ataúd a la otra.

Truco de vampiro

«El terrorífico espíritu de la botella»

En su recorrido por el castillo de Drácula, Kika encontró toda una colección de espíritus terroríficos embotellados, y se trajo consigo un ejemplar especialmente aterrador.

¿Que no te lo crees?

¡Pues ten mucho cuidado, no se le vaya a escapar y te dé un susto morrocotudo!

Kika coge una botella vacía y la enfría en el congelador. Después coloca una moneda mojada sobre el cuello de la botella abierta, y rodea el cristal con sus manos. Al cabo de un ratito, la moneda empieza a castañetear…

¡Socorro! ¡El terrorífico espíritu quiere salir!

Índice

Trucos de vampiro

¡Hola!

Este que ves en la foto soy yo. Me llamo KNISTER, y soy el autor de las aventuras de Kika Superbruja.

Como siempre me ha gustado vuestro mundo, el de los chicos y chicas como tú, he escrito muchos libros y canciones para vosotros, y también obras de teatro.

Me encanta presentar programas de lectura en la tele, la radio, las bibliotecas, los teatros y las librerías de mi país (que, por cierto, es Alemania), y también disfruto mucho cuando realizo trabajos para chicos y chicas que son discapacitados psíquicos, o disléxicos, o ciegos..., todos ellos de tu misma edad.

Pero lo mejor de todo es cuando vosotros participáis conmigo en lo que hago, leyendo mis libros y compartiendo las aventuras de los personajes que los protagonizan.

En esta ocasión he querido presentaros a Kika Superbruja. Como es una bruja supersecreta, me costó bastante que me explicara sus trucos de magia, pero al final lo conseguí. Aunque..., no sé por qué, pero me da la impresión de que Kika Superbruja no me ha contado todos sus supersecretos... ¡y a lo mejor todavía le quedan unos cuantos hechizos guardados en la manga!

Los libros de KNISTER

en Bruño
KNISTER
Kika Superbruja
9
la espada mágica
10
en el castillo de Drácula
11
en busca del tesoro
12
y don Quijote de la Mancha
13
en el Salvaje Oeste
14
y el hechizo de la Navidad
15
y los vikingos
16
y los dinosaurios
17
y sus bromas mágicas
18
y la aventura espacial
Mi agenda
Correo mágico
Mi diario secreto
Calendario ★ Calendari ★ Egutegia ★ Calendario
2009
¡¡Con adhesivos ★ Amb adhesius ★ Itsaskerrekin ★ Con adhesivos
Agenda Escolar
2008-2009
Bruño

KIKA
Superbruja
y Dani
KNISTER
Kika embruja los deberes
El cumple de Dani
El vampiro del diente flojo
El loco caballero
El dinosaurio salvaje
La gran aventura de Colón
El partido de fútbol embrujado
El hechizo fantasma
KIKA
Superwitch
& Dani
Magic Homework
And The Wild Dinosaurs
¡Aprende INGLÉS con Kika y Dani!
Todo sobre los piratas
Todo sobre los dinosaurios
Todo sobre los antiguos egipcios
Todo sobre los caballeros
Bruño

www.KNISTER.com